देवताओं के वाहन

शिव और नंदी बैल

शुभा विलास

Om KIDZ
An imprint of Om Books International

एक बार शिलाद नामक एक पुण्यात्मा ऋषि थे। वे बहुत दुःखी थे क्योंकि उनकी कोई संतान नहीं थी जिसे वे दुलार कर सकें। उनके शुभचिंतकों ने उन्हें इंद्रदेव से प्रार्थना करने और उन्हें प्रसन्न करने का सुझाव दिया। शिलाद को यह विचार पसंद आया। केवल स्वर्ग के राजा इंद्र ही उन्हें वह संतान प्रदान कर सकते थे जो वे चाहते थे।

इसलिए शिलाद अपने हृदय में यह आशा लेकर पर्वतों की ओर चल दिए कि जब वे वापस आएँगे तो वे एक प्रसन्न व्यक्ति होंगे और उन्हें एक पुत्र का आशीर्वाद प्राप्त होगा।

कुछ वर्षों की तपस्या के बाद, इंद्रदेव शिलाद से प्रसन्न हुए और उनके सामने प्रकट हुए। जब शिलाद ने इंद्रदेव को अपने समक्ष देखा तो वे बहुत प्रसन्न हुए।

जब इंद्रदेव ने उनसे तपस्या का कारण पूछा तो शिलाद ने अपने मन की इच्छा प्रकट की।

“कृपया मुझे एक ऐसा पुत्र दीजिए जिसका जन्म माता के गर्भ से न हुआ हो, वह सदैव जीवित रहे और भगवान शिव के समान हो।”

इंद्रदेव, जो अब तक मुस्कुरा रहे थे, अचानक गंभीर हो गए। “केवल भगवान शिव ही आपकी सहायता कर सकते हैं,” उन्होंने उत्तर दिया, “कृपया उनसे प्रार्थना करें।”

अत्यंत निराश होकर शिलाद अपनी गहन तपस्या करते रहे। सैंकड़ों वर्ष बीत गए। उन्होंने दृढ़ निश्चय कर लिया था कि जब तक भगवान शिव स्वयं उनके सामने प्रकट नहीं होंगे तब तक वे ध्यान करना नहीं छोड़ेंगे।

उन्होंने अन्न-जल का त्याग कर दिया था। उनका शरीर दुर्बल हो गया था। वे अब केवल अस्थिपंजर (हड्डियों के ढाँचे) के समान थे। चींटियों और दीमकों ने उन्हें चट्टान समझ लिया, इसलिए उन्होंने उनके शरीर में अपना घर बनाना आरंभ कर दिया। शिलाद चींटियों की बाँबियों से ढक गए थे। उनकी अस्थियाँ कीड़े कुतर रहे थे। फिर भी उनका मन शिव में लीन था।

अंततः, शिलाद की प्रार्थनाओं के स्वर कैलाश में भगवान शिव तक पहुँचे। वे तुरंत अपने भक्त के सामने प्रकट हो गए। भगवान शिव ने उनके मस्तक पर स्पर्श किया। शिलाद को अपने शरीर में ऊर्जा के रोमांच का अनुभव हुआ। उनके घाव ठीक हो गए। उनकी माँसपेशियों में एक बार फिर से उत्साह का संचार हो गया। वे उठे और अपने प्रभु को प्रणाम किया।

किसी शब्द की आवश्यकता नहीं थी क्योंकि शिव ने उन्हें बोलने के लिए प्रोत्साहित किया। वरदान की आशा में शिलाद के मुख से शब्द निकले।

“हे भगवान, कृपया मुझे एक ऐसी संतान का आशीर्वाद दीजिए जिसका जन्म माता के गर्भ से न हुआ हो, और जो अनंत काल तक जीवित रहे।”

“जैसी आपकी इच्छा हो,” शिव ने कहा, “आप घर वापस जाकर यज्ञ कीजिए, जिससे आपको संतान प्राप्त होगी।”

ऐसा कहकर शिलाद को स्तब्ध छोड़कर शिव एक क्षण में अंतर्ध्यान हो गए। जब उनकी चेतना लौटी, तो शिलाद यज्ञ करने के लिए घर चले गए।

यज्ञ की अग्नि से चमकते हुए हीरों से सुसज्जित एक शक्तिशाली, युवा बालक प्रकट हुआ। शिलाद को अपना स्वप्न साकार होता देखकर अत्यधिक प्रसन्नता हुई। उन्होंने बालक का नाम नंदी रखा, जिसका अर्थ है सदैव प्रसन्न रहने वाला।

शिलाद नंदी को घर ले आए। नंदी अब एक सामान्य बालक में परिवर्तित हो गए थे। उनकी तेजस्वी आभा समाप्त हो गई थी। उनका जन्म कितना असाधारण था, इसका अनुमान कोई नहीं लगा सका। नंदी शिव के परम भक्त बन गए।

शिलाद ने उनकी शिक्षा का प्रारम्भ शास्त्रों की शिक्षा प्रदान करके किया। नंदी अब एक गुरु से अपनी शिक्षा ग्रहण करने के लिए तैयार थे।

जब वे गुरु से मिले तो शिलाद उनकी बातें सुनकर आश्चर्यचकित रह गए। उन्होंने भविष्यवाणी की कि नंदी के पास केवल एक वर्ष का जीवन शेष है।

एक बार फिर शिलाद दुःख के सागर में डूब गए। अपने पिता का कष्ट देख पाने में असमर्थ नंदी, भगवान शिव को प्रसन्न करने के लिए हिमालय गए। शिव वहाँ प्रकट हुए और उन्हें सत्य से अवगत कराया, "प्रिय नंदी, आप मूल रूप से कैलाश में थे और एक मुनि ने आपको मानव-जन्म लेने का शाप दिया था। अब समय आ गया है कि आप अपना मानव-शरीर त्यागें और अपने शाश्वत आध्यात्मिक स्वरूप में वापस आएँ। आप सदैव मेरी सेवा में रहेंगे और विश्वभर में भक्त मेरे मंदिर में प्रवेश करने से पहले आपसे प्रार्थना करेंगे।"

तब नंदी ने भगवान शिव की सेवा के लिए स्वयं को आधे मानव और आधे बैल के रूप में बदल लिया। वे भगवान शिव के संरक्षक और वाहन हैं और भक्त उनसे भगवान शिव के दर्शन की अनुमति के लिए प्रार्थना करते हैं।